나는, 매주 청주에서 제주로 떠난다: 대학 강사의 하루

나는, 매주 청주에서 제주로 떠난다

발 행 | 2024년 03월 08일
저 자 | 송현희
펴낸이 | 한건희
펴낸곳 | 주식회사 부크크
출판사등록 | 2014.07.15.(제2014-16호)
주 소 | 서울특별시 금천구 가산디지털1로 119 SK트윈타워 A동 305호
전 화 | 1670-8316
이메일 | info@bookk.co.kr

ISBN | 979-11-410-7552-1

www.bookk.co.kr

나는 매주 청주에서 제주로 떠난다

송현희 지음

CONTENT

나의 강의, 나의 일

<도두동 무지개해안도로, 잘 찍었다>

나는 대학 시간강사이다.

사실 보람을 먹고 살려고 했으나, 나에게는 생계가 있으니 생계형 강사는 분명하다. 다만, 번 아웃도 오고 강의에 대한 회의도 생겨 진짜 그만두고 싶었던 시기가 3년이 되니 힘들었다.

그만두자 쉬자 해도 나는 그만둘 수가 없었다. 그래서 생각의 전환을 하자. 내가 내린 결정이었다. 음... 그 결정은 매번 바뀌지만, 이번 학기 나는 하루를 나에게 쓰기로 했다.

매주, 청주에서 제주까지 강의를 하기로 말이다.

2023년 2학기 나는 그렇게 매주 제주도에서 힐링을 했다. 그리고 다시 기운을 낼 수 있었다. 참 다행이었던 시간을 이렇게 기록으로 남겨보고자 한다.

<성산 예뻤던 소품샵, 제주 i>

2024. 02.
현희가 현희를 응원하며.
모든 대학 강사를 응원하며.

1 청주에서 제주로?

<셀카는 쉽지 않아, 용담해안도로>

　대학교 시간표는 내 마음대로 되지 않는다. 먼저 어떤 요일과 시간대를 물어보기도 하지만 이미 확정된 경우가 많다. 그러다보니 힘들게 지원해서 된 학교도 시간표가 겹치면 포기해야 한다.

　2023년 2학기도 원래 하던 대학과 새롭게 지원한 대학의 시간표가 겹치게 되고 겨우 겨우 정리하다 보니 목요일이 아예 비게 되었다. 그래, 쉬자 마음을 먹었지만 현실은 녹록치 않으니 마음이 불안할 수밖에 없었다. 일요일을 제외한 모든 요일이 강의인데 목요일은 쉬자, 이

랬지만 자꾸만 불안한 마음에 하이브레인넷[1]에 들어가서 보다 눈에 띤 제주대학교 강사 공고. 사실 제주도인데? 아니야, 거기까지는 비행기가 가야 하는데 되도 안 되지. 이런 마음이었다. 하지만 공고가 이미 지났는데 똑같은 과목으로 또 공고가 떴다.

이건 운명인가? 아니야, 난 또 마음을 접었다. 하지만 그 기간이 지나도 다시 떴을 때는 내보자. 거리가 먼데 설마 뽑히겠어? 하지만 내 기대? 와는 다르게 나는 서류 합격 통지를 받고 면접 또한 연락을 받았다. 그럼, 면접이라도 갔다 오자. 제주도 여행인 셈이지 하고 면접까지 결정했다. 그런데 학교에서 연락이 왔다. 먼 거리가 줌으로 면접을 볼 수 있게 하겠다고, 나는 한사코 가겠다고 했지만 결국 줌으로 면접을 진행했다. 역시나 내 경력을 인정하지만 거리가 너무나 멀다. 이 질문이 주를 이루었다. 나는? 되도 안갈 수 있겠다 싶어서 그저 즐겁게 대답했다. 결과는? 알다시피 됐다.

그런데 다시 고민되는 순간이 생겼다. 공고는 강의 4시간이었는데, 한 과목이 폐강이 확실시 되었다는 연락이었다. 그래서 못하겠다고 고사를 하고 생각에 잠겼다. 폐강된 과목은 수요일 야간 과목이었고 강의를 하게 되면 목요일 아침 수업이었다. 사실 수요일은 이미 강의가 꽉 차있어서 야간 강의라도 할 수도 없는 상황이었다. 게다가 목요일은 다른 강의가 하나도 잡히지 않은 상태였다.

아... 운명인가. 다시 연락해서 할 수 있다고 했다.

---

1) 고급인력을 위한 구직사이트로, 채용정보, 학술/연구정보 및 다양한 정보가 있다. 너무나 감사한 사이트로, 매일 들어가지 않으면 안 될 정도가 된 곳이다. 교수, 강사, 연구원 등 다양한 정보가 즐비한 곳으로, 정말 이 사이트를 만드신 분께 감사를 전한다.

그렇게 나의 청주에서 제주까지의 여정이 시작되었다. 나의 일정은
다음처럼 이루어졌다.

09월 07일 용담해안도로, 스타벅스 용담점
09월 14일 함덕해수욕장, 스타벅스 함덕점
09월 21일 이호테우해수욕장, 쿠주제주구옥
10월 05일 도두동무지개해안도로, 카페 나모나모, 바이제주
10월 12일 (구좌) 동쪽송당 동화마을, 더제주송담파크R, 월정리 해
　　　　　수욕장, 코난비치, 해녀박물관(딸과)
10월 26일 (안덕) 오설록티뮤지엄, 풀벌레 카페, 제주이야기,
　　　　　서해안로스타벅스
11월 09일 (한림) 금능해수욕장, 우무, 제주도립김창열미술관,
　　　　　웨이뷰 협재점, 제주현대미술관
11월 16일 (애월) 애월삼율공본점, 사진놀이터, 제주기와,
　　　　　아르떼뮤지엄(딸과)
11월 23일 (조천) 제주돌문화공원, 5L2F카페, 돌하르방미술관,
　　　　　닭머르, 삼양해수욕장, 돌카롱
11월 30일 제주도립미술관, 몽그레, 제주민속사박물관, 다랑쉬,
　　　　　제주문화예술진흥원, 이호테우해수욕장, 노형슈퍼마켙
12월 07일 (애월) 곽지해수욕장, 새별오름, 항몽유적지,
　　　　　상가리야자숲, 구엄리돌염전, 커피빈 애월점
12월 14일 (안덕) 방주교회, 본태박물관, 무민랜드, 벼레별씨,
　　　　　사계해변, 테디베어뮤지엄(딸과)
12월 21일 (구좌) 스누피가든, 제주송당파크R점

나는 MBTI에서 INFJ이다. 정말 모두 완벽하게 ESTP는 O점이고, 모두 INFJ에 쏠려 있다. 그런 내가 계획을 하고도 상황에 따라서 여유롭게 변화를 줄 수 있었던 것은 제주였기 때문이 아니었을까?

매일 어떤 일이 있었는지 일기를 쓰는 나의 스타일에 이 이야기는 일기와 나의 심경들이 그대로 들어가 있다. 본격적으로 나의 이야기: 청주에서 제주까지. 엄밀히 말하면 오송에서 제주까지군. 시작해보자.

<어색해도 기록은 남겨야지, 돌하르방 미술관>

2 첫 주 시작은 우당탕탕

<언제 봐도 반가운 헬로우 제주>

9월 7일 나의 첫 제주대학교 강의가 시작되는 날이었다. 미리 예매해둔 항공권. 설레면서도 걱정되는 마음 한 가득 안고 나는 오송 집에서 나와 청주공항으로 향했다. 25~30분 남짓 걸리는 거리였지만 주차하고 공항 내로 들어가야 하니 시간은 더 걸리는 것은 당연지사. 무사히 제주국제공항에 도착했다. 한숨 돌릴 새도 없이 학교까지 미리 확인했던 버스노선을 확인했다. 음, 365번이나 302번이라고? 잘 찾아서 버스 타러 나갔는데 길치인 나에게 너무나 어려운 일이었다. 다행히 급행인 302번을 탔고 나는 학교에 갔다. 참 다행이다. 버스타고 헤메지 않아서 말이다.

2023년 9월 7일 나의 일기
<드디어, 제주대>
파란만장 하하하. 현재 14:20pm.
헤맨 시간은 2시간 정도? 근데 놀랍지 않아서 OK.
5시 30분 기상. 잘 챙겨서 드디어 청주공항. 그리고? 비행기에서 잘 자고 제주공항에 도착! 오호~ 버스도 잘 타서 예상보다 학교를 잘 찾음. 그리고 약간??? 헤매긴 했으나 학교에서 사범대 찾아서 영어교육과에 잘 들어감. 조교와 잘 인사하고 강의할 언어교육원으로. 오늘 길 물어 본 사람이 한두 명이 아니다 후후.
OT를 끝내고 밖으로 나오는데 급 지쳐버렸다. 버스를 기다리는데 역시나 길치인 나는 반대편에 한참을 서 있다가 다시 확인 후 버스 타고 공항으로 향했다. 어지럽고 배고프고 배 아프고... 그래서 공항 1층 카페로 빨리 향했다. 역시 라떼와 베이글. 그리고 기운 냈는데 아직 한 시다. 그러면 움직이자. 용두암 있는 해안도로가 생각이 났다. 그래. 가즈아!
그런데 버스가? 직통은 너무 기다려야해서 환승을 선택했다. 그런데? 또? 엥? 이것도 반대쪽이네. 반대쪽으로 갔으나 역시 30분 이상 기다려야 한다. 못살겠군. 기다리는 중에 갑자기 어떤 할아버지께서 사람들 틈새로 들어오시더니 나에게 "네잎클로버"를 주셨다. 나만? 왜? 잉? 감사함을 표했더니 버스타고 쿨하게 사라지셨다. 스타벅스를 용케 찾아서 타 대학 평가표 작성하고 정리하고 또 버스타고 즐거이 공항으로 향했다. 배고파서 공항에서 밥 먹고 또 카페. 커피 마시고 또 다른 대학 평가표 작성하고 대학 필수 교육도 이수하고. 아직 저녁 7시. 비행기는 밤 10시인데. 뭐, 전망대 한번 쭉 둘러보고 기다리자.

보람차다, 제주대 강의하길 잘했어!!!

< 평생 잊지 못할 선물로 기록될 네잎클로버>

9월 7일 내가 받은 네잎클로버는 이렇게 내가 잘 말렸고 2024년 다이어리에 코팅한 채 당당히 자리 잡고 있다. 그 할아버지는 왜 나에게 네잎클로버를 안겨주셨을까? 우연이겠지만 너무나 감사했고 나의 첫 제주대학교에서의 시작을 멋지게 자리 잡게 해주셨기에 기억에 남는다. 시작이 우당탕탕 이었지만 계속 그러하다. 너무나 힘들었고 심정인 방황이 있던 나의 강사생활에 이런 우당탕탕은 어쩌면 필요했는지 모른다.

앞길이 희미해지고 교수임용은 어렵고 강사를 계속해야 하나 고민이 많아지고 방향도 모르겠던 나의 심정이 이 먼 제주로까지 이어진 것은 아니었을까...

3 이젠 좀 수월해졌을까

<여러 번 가면 의미도 달라지나봐, 함덕해수욕장>

2023년 9월 14일. 두 번째라고 안심하면 안 된다. 내가 누구던가... 내비게이션 켜 놓고도 길을 헤매는 나인데... 집에서는 모두 운전만 하며 다니니 대중교통을 이용할 일이 없다. 그래서 어쩌면 그 기다리는 시간과 헤매는 시간을 여유라고 생각해서 마음은 편했는지 모른다. 그래서 아직은 익숙한 곳을 먼저 떠올리고 함덕해수욕장(작년에 친구와 친구아이들과 우리 아이들이 함께 했던 곳이라 그나마 익숙한 곳)으로 갔지만 바람은 불고 뭐, 역시나 스타벅스가 탑이다.

그래도 한 발 찍었으니 된 거고 수업도 너무나 열정적으로 잘했으니 된 거다. 육지에서 벗어나니 마음도 홀가분해진 기분이다. 부모님도 남편도 왜 제주까지 가냐고. 사실 4시간에 2시간 폐강에, 2시간 강의면 진짜 교통편도 안 된다. 부족한 거지. 정말 비행기만 타고 갔다 오면 겨우 부족하지는 않은 거지만 뭐 사람이 어찌 그러겠는가. 나도 돈이 생각나지 않은 것은 아니지만, 이런 여유와 행복을 돈과는 바꿀 수는 없었다.

2023년 9월 14일 나의 일기
<제주는 힐링>
어제도 기절, 개강하고 계속 기절, 입안은 퉁퉁... 힘들다. 어제도 일찍 기상했고 오늘도 일찍 기상해서 아주 죽을 맛이다. 그럼에도 제주 가는 길은 참 좋다. 그으래!
사실 길이 막혀서, 아니 내가 늦게 나왔나? 어쨌든 나는 7시 50분 공항에서 도착. 뭐, 8시 20분 비행기를 잘 탔다. 그리고 숙면. 나의 특징은 어디에서든 잘 잔다는 훗. 사실 애기들이 많아서 아주 푹은 아니었지만 그래도 잘 잤으니 됐다. 도착하니 제주는 흐림. 오송도 비 내렸으니까. 암튼 302번 버스 잘 타고 씩씩하게 학교에서 착착착 도착. 그리고 약간 또 헤맸다. 영어교육과 조교한테 가서 내 도장 잘 전달하고 강의실 가다가 헤맨 것이었다. 그런데 전체 48명인데 8명이 결석? 에구... 뭐, 어쨌든 난 즐겁게 강의 종료하고 함덕해수욕장. 분명 검색으로 1시간 10분 걸린 댔으나, 난 거의 2시간 걸렸다. 왜지? 도착하고 너무나 지쳐버렸다. 그래도 추억이 새록새록. 작년 친구하고 친구 아이들과 내 아이들이 함께 갔던 곳이었기에. 스타벅스 함덕점에서 여유롭게 있으려 했으나 배도 아프고 밖은 바람도 심하게 불고. 역시나 지침. 그래도 어딩가 들리자 해서 버스 타고 가다가 <제주솔트바>를 찾아갔다. 버스에서 내렸지만 또 멈칫멈칫. 그래도 잘 찾아서 3박스 샀다. 이 야호! 다시 공항으로

가서 똑같은 메뉴 먹고 똑같은 카페. 다 똑같지만 그래도 참 좋다.
내가 기다리는 힐링. 집에 가믄 또 시체가 되겠지만…

앗, 22시 20분 가는 항공편이 23시로 지연. 한참 기다렸지만 그
래도 탔으니 됐어. 이제 집에 가는 건가? 그런건가보다. 또 기절했
다.

<제주 솔트바의 시식은 내 마음을 사로잡았지>

뭐, <제주 솔트바>를 찾기 위해서도 헤매긴 했지만, 전략이 너무나
좋은 곳이었다. 특별한 선물용으로도 딱이었고. 나의 선물사기의 시작
이었던 곳이고, 역시나 헤매다가 발견한 이곳은 나에게 또 다른 감정
의 선물이었다. 3가지 종류나 선물로 구매했다. 역시 돈은 오버되고
오버됐지만 내 마음이 넘치니 그 무엇과 바꾸랴. 감정의 소용돌이는
그대로고 아직 수월해지지 않았다. 너무나 많은 문제들이 나를 짓밟고
있지만, 어쩔 수 없다면? 즐겨라!

4 난 또 헤매고 다니네

<흐린 날의 이호테우해변>

너무 먼 곳은 엄두가 나지 않는다. 3번째 여정인데 여전히 길을 헷갈리고 그렇게 버스를 기다리다보니 다른 곳으로 갈 엄두가 나지 않는다. 이호테우해변은 지나가기만 해서 이번 기회에 가보자 했는데 역시나 헤맸다. 나의 대중교통 이용은 항상 헤매는구나. 긍정적으로 생각해도 힘들긴 하다. 이제 학교까지는 참 가기 좋다. 그래도 그것으로

만 끝나면 제주도까지의 여정이 너무나 아깝게 느껴졌다. 더 움직여야지. 다음 주는 추석 연휴라 수업이 없으니 왠지 오늘의 시간이 더 아깝게 느껴지기도 했다.

근데 날씨도 흐리고 바람도 많이 불고. 제주도라 바람은 항상 많이 불긴 하지만 오늘따라 조금 더 지치기도 했다. 내가 제주대학교만 강의를 하는 것은 아니기 때문이니까. 다른 대학 강의도 준비하고 강의하고 처리할 일들도 많으니까. 그리고 추석 연휴 전이다. 결혼해서 가장 힘든 것 중에 하나가 명절이다. 어릴 때는 그냥 마냥 좋았는데 쉽지 않다. 여러 문제들. 그런 이야기는 지금은 꺼내고 싶지 않다.

2023년 9월 21일 나의 일기

<제주! 제주!>

항시 피곤하다. 하하하. 그래도 뿌듯하다. 오늘은 비행기가 7:15분 출발이라 제주에는 8:20분 공항 도착. 학교 가면 할 일도 딱히 없으니 공항에 있자! 열심히 타 대학 평가표 정리. 열심히 하다보니 1시간 반이 훌쩍 지나서 학교로. 302번 타던 시간이 지나서 늦을 뻔. 그래도 수업시간은 맞췄지~ 수업은 즐겁게 마무리!

오늘은 '이호테우해수욕장'을 가기로. 오늘도 분명 검색은 1시간 10분이 걸린다 했는데... 2시간 걸렸다. 하하하. 중간에 환승대기도 있었다 해도...

암튼 바다! 근데 날씨가 흐려서 물이 흐려... 흑.. 내 마음과 너무나 다르고 나는 게다가 지쳐버렸다. 그래도 힘내서 바다를 목마른 눈에 담고 바로 앞 <쿠주제주구옥> 카페. 흠, 앉을 자리가 거의 없어서 커피만 잘 마시고 이동!

원래 CGV 영화를 보려했지만, 이 관광지.. 버스가 잘 안 온다. 뭐, 다들 렌트카나 자차. 혼자 버스 기다리기. 게다가 양쪽을 두 번 왔다 갔다 해도 방향을 모르겠다. 결국 지쳐서 영화 취소 후 공항으로 가니 5시. 그래도 오늘은 든든히 돌솥비빔밥 세트 먹기. 오늘도 3층 입구 헤매고 버스도 멀리 내려서 너무 헤맸다. 그래도 커피까지 잘 마시고 2시간 반 대기 잘하고 비행기에 올랐다. 오늘은 파리바게트 제주마음세트와 카카오프렌즈 제주 인형 구매. 매주 어디를 갈까 무엇을 살까 고민하는 행복. 그래 이 행복으로 다시 기운을 내는 거다.

<제주 카페의 맛을 알게 해준 곳, 쿠주구옥>

난 스타벅스가 좋다. 익숙하니까. 그래도 다른 카페들을 보고 싶었다. 그래서 오늘은 <쿠주구옥> 카페. 음, 사실은 해변보고 바로 앞이어서 그리고 제주의 구옥을 리모델링한 곳이 궁금하기도 했고. 안은 좁았지만 신기했다. 사실 내가 원한 곳은 좀 앉아서 일을 할 공간이었다. 하지만 이곳은 오랫동안 앉아있기 애매해서 일은 하지 못했다. 그럼에도 난 제주도의 다양한 카페에 도전하는 시작점으로 아주 좋았다. 혼자도 할 수 있다는 무언가의 자신감도 생기고.

아직도 내 마음은 헤매는 중이다. 제주대학교 강의가 해결점이 되는 것은 아니지만 생각을 많이 할 수 있는 여유를 주는 시간임은 분명하다. 목요일 강의가 없었기에 선택했던 이곳은 무언가 나에게 방향성을 제시하는 의미인지도. 뭐 나의 해석이고 나를 위한 말이기는 하다. 해석과 합리화는 다 인간이라면 본인 위주가 되는 거니까. 내가 바라는 것은 연휴에도 강의를 했으면 좋겠다. 그냥 다음 주 연휴에도 그냥 강의하러 왔으면 좋겠다는 거다. 아하하.

<헬로 제주는 안에 있어도 참 좋다>

5 제주도에 가는 이유

<진짜 날씨 좋았던 날, 도두동 무지개해안도로>

이제 익숙해질 것 같지만 나의 헤맴은 뭐 끝도 없다. 그래도 오늘에서야 비로소 더욱 더 제주도에 내가 왜 오는지 이유를 확실히 알 것 같았다. 그 동안 강사 생활을 하면서 그래도 변치 않는 목적이 하나 있었다. 꼭 정교수가 될 수 있다는 희망 말이다. 하지만 최종으로 오르고 떨어진 후 난 참 방황을 많이 했다. 영미아동문학 이라는 좁은 내 전공의 범위에서, 그렇기 때문에 될 꺼라 생각했지만 영문학에서도 유아교육에서도 갈 수 있지 않았다. 정통도 아니고 유학파가 아니란 이유에서 이었다. 그럼에도 난 너무나 자신이 있었다. 하지만 강사로서는 서류 내고 발표 전에 미리 합격이라고 연락을 주면서 같은 대학 전임 자리는 서류에서도 무조건 탈락인 사실에 난 무력감을 느꼈다.

그래서 올 초에 난 서울대 대학원에 준비를 했다. 최종까지 됐지만 난 입학을 할 수 없었다. 대학원에서는 연구하기를 원했고 나도 그럴 생각이었지만 면접관의 질문 하나가 나를 막았다. "강의를 그렇게 많이 하시는데 다 내려놓으실 수 있나요?" 물론 알고 있었다. 장학생이 될 수 있는 특수 분야였고 6시간까지 강의도 가능하다는 것을. 하지만 나에게 강의는 생계였다. 일주일 40시간 대학 강의에 문화재단 등 기관에 기획 및 강의를 하면 일주일 동안 쉴 날이 별로 없이 일하는 건 생계형 강사이기 때문에. 솔직히 강의를 조금 정리할 수 있지만 내려놓을 수 없다고 말씀드렸다. 너무나 좋으셨던 면접관님께서 정말 진심어린 말씀을 해주셨고 난 나와서 펑펑 울었다. 난 서울대에서 청주 오송까지 계속 울었다.

그랬기에 제주는 어떻게 생각하면 하나의 피난처였다. 그래서 난 매주 제주도에 오고 간다. 돈보다 중요한 것은 항상 있는 법이다. 숨 쉬지 않고 그냥 참고 버티고 왔다. 그런데 제주에 오면 숨이 쉬어 진다. 참 다행이다.

2023년 10월 05일 나의 일기

<제주! 제주대!>

10:25AM. 너무 일찍 왔네.

뭐~ 302번을 9:37AM에 딱 맞춰서 타고 학교에 도착하니 10:08AM. 으엥? 아주 천천히 걸어서 올라오는데도 너무 일렀다. 그래서 여기는 학생회관 건물의 2층 스터디카페. 바로 2층 옆문으로 나가면 내 강의동인 언어교육원. 좋군~ 근데 나 멀미 중. 비행기타고 나서부터 힘들었다. 암튼 자색고구마라떼 마셨고 충분히 쉬었으니 가즈아. 아.. 그래도 속이 울렁울렁. 그럼에도 강의는 열정적으로 마무리. 끝나서 나와서, 거기까지 OK.

오늘은 도두동무지개해안도로에 가자. 하고 갔는데? 이놈의 버스들... 내가 문제인가... 2시간 반 만에 도착. 갈수록 더 걸리는 것은 왜? 어휴... <카페 나모나모베이커리>. 응~ 대형오션뷰 카페군. 바다도 보고 사진도 찍고 빵도 3개나 사서 1개는 허겁지겁 먹고 버스시간을 보는데 역시나 제주노형CGV는 오늘도 안 되겠어. 그러면 <바이제주>에 가자. 버스는 10분 뒤면 오고 잘 내려서 들어가서 쇼핑! 근데 어질어질. 나와서 버스 타려는데 으잉? 버스가 없어? 다시 검색해도 없어. 그래도 뭐라도 타자. 종점에서 내렸는데 여긴 어디? 제주항이다... 다행히 물어 물어서 버스타고 공항에 도착. 아주 지쳤다. 이젠 단골 같은 <오가다> 카페. 충전기를 안 들고 와서 샀는데 오늘 그곳의 콘센트 공사 중이래... 흑.. 다행히 직원이 충전해주심. 그저 지쳐서 비행기만 기다렸던 마무리.

혼자 셀카는 생각지도 못했다. 그런데 그냥 배경만 찍자니 하루가 너무나 길기도 하고 아쉽기도 했다. 물론 아직도 어색하고 찍고 후다닥 도망가는? 형국이지만 그래도 즐기자. 그래야지. 그러자! 더 웃을 수 있도록. 어렸을 때는 너무나 웃어서 눈웃음 친다는 이야기를 많이 들었었다. 그런데 삶이 나를 이리 만드는 건지 웃는 일들이 더 적어지는 것 같다. 그럴수록 더 웃어야 복이 온다는 옛말이 맞다고 웃어야 하는 건 아닐까? 제주도에 가면 더 웃게 되는 것은 사실인 것 같다.

<셀카는 여전히 어렵지만, 웃는다>

마음이 웃고 있으니 표정도 밝아지는 것 같긴 하다.

그래, 제주도로 강의하러 오길 참 잘했다.

6 생각지도 못한 여정의 변곡점

<내 껌딱지 딸과 오픈 날인줄 모르고 들렀는데>

(스타벅스더제주송담파크R)

제주대학교로 강의하며 사람들이 항공권 가격을 걱정했다. 나 또한 걱정했었지만 9월 달은 내내 왕복 50,000-70,000원 사이였다. 그래서 예매를 미리 하지 않았는데.. 아뿔싸... 10월부터 제주도는 성수기였다. 왕복 150,000원은 금세 되고 겨우 겨우 찾다 그냥 내자하고 있는데 딸이 같이 가고 싶단다. 내가 전 날에 간다고 해서 그런 거 같다. 평소에도 난 아이들이 학교 빠지는 것에 개의치 않는다. 내가 어릴 때는 개근상이 너무나 중요했었지만 (특히 나처럼 공부도 다른 특기도 없던 아이에게) 난 공부는 다 때가 있다고 생각한다. 난 어렸을 때 호불

호가 아주 큰 아이였고 국어가 전교 상위권 7등을 할 정도로 잘했다면 수학은 500명 중 495등까지 찍어볼 정도였다. 그러니 잘하는 건 잘하고 못하는 건 아주 못하는, 뭘 그런 아이였다.

그러다 내가 대학원 다닌다고 했으니 부모님은 믿지 않으셨고. 뭐 나도 공부에 큰 뜻은 없었다. 하다 보니 하는 거지 뭐 하하하. 암튼 내 딸과 아들도 잘하면 좋지만 못해도 삶에도 그 외에도 너무나 많은 기회가 있는 거니까. 난 아이들에게 넓은 세상을 보여주는 엄마가 되고 싶었다. 그래서 학교 빠지고 데려갈 수 있다면 어디든 데려갔던 것 같다. 국내외 학회, 강연, 수업 등. 이번에도 가고 싶다기에 그래, 가자. 그리고 나와 딸은 떠났다. 아이와 같이 가니 렌트를 해야겠다고 생각했다. 이 일은 나의 전체 제주 여정에 아주 큰 변화를 가져왔다. 생각보다 저렴한 렌트 비용과 내가 너무나 운전을 잘한다는 사실이 이 여정에 기동력을 보탰다. 이젠 달리자.

2023년 10월 12일 나의 일기는 10월 11일에 시작
<급, 제주도>
학기가 시작되고 바쁘다보니, 항공권 예약을 제대로 하지 못했다. 갑자기 비싸진 항공권으로 아침까지 내일 비행기를 계속 검색하다가 오늘 갈까? 딸도 같이 간다고, 학교 빠지고. 난 언제든 OK! 그래서 오전 오후 강의 끝나고 바로 청주공항으로 출발. 하지만... 예매한 비행기 놓침. 아고... 다행히 다음 비행기가 저가로 나와 있어서 구매하고 비행기에 올랐다. 가면서 예약한 호텔과 렌터카. 급히 간 거라 아무 것도 준비가 안 되어 있어서 화장품부터 모두 구매. 배달음식 시켜먹고 기절.

<제주도 즐기기 with 딸>
일어나니 9시. 딸 챙겨서 학교로. 운전해서 가니 금방 도착. 역시나 2시간 꽉 채워서 강의하고 차에 가니 자고 있는 딸내미.

어제 갑작스런 제주행으로 고등학생이 학교 빠지냐 왜 가냐 짜증 냈던 남편 덕분? 에 신경 쓰이고. 하지만 가장 걱정되고 신경 쓰이는 것은 아들. 나도 딸도 걱정걱정. 그래도 제주에 왔으니 원래 가려고 생각했던 구좌읍 동쪽송당 동화마을. 우연이었지만 제주송당파크R점 오픈 날. 그래서 들어가서 대기만 한 시간 이상 음료 나오는데 2시간이 걸린다는 친절한 직원 분들의 설명. 뭐, 채점도 해야 하니 기다리자. 헌데 음료는 사진과 다르고 가격도 너무 비쌈. 그래도 의미가 있으니. 공원도 무료니 산책도 하고. 그 다음엔 월정리해수욕장. 와~ 고등학생 수학여행 단체로 아주 가득가득.

그래도 너무나 좋은 바다. 사람들이 서핑하고 자유로워. 약간 늦었지만 문어라면과 김밥 먹고 코난비치 이동. 음, 작다. 그래도 왔다. 이 개념. 해녀 박물관으로 go. 근데 아직 5시 10분인데 closed.. 분명 6시까지라면 5시 반까지 들어갈 수 있어야 하는 거 아닌가... 아쉬움을 뒤로 하고 앞 공원에서 사방치기하고 놀다 렌터카 반납하고 공원으로. 아... 사람이 너무 많아. 롯데리아에서 겨우 버거 먹고 비행기 타고 기절. 집에 와서 빨래 돌리고 청소하고 기절.

혼자여도 괜찮다고 생각했는데 딸과 함께 하니 함께 하는 여행의 행복도 더욱 더 알게 되었다. 가볍게 나를 찍어주는 사람이 있다는 것도 행복하고. 내가 이럴 때는 참 수다스러운 사람이구나 싶기도 하고. 딸이라 그런 것일 수도 있지만 더 보여주고 싶고 더 배려하게 되고. 사실 딸도 나도 우유부단함의 대명사? 이기 때문에 잘 선택을 하지 못한다. 그렇기 때문일까? 내가 좀 더 적극적으로 딸을 위해 장소를 택하고 무엇이 더 좋을까 고민하게 된다. 한 사람들을 대하는 것도 어려운데 나에게 익숙하지 않은 사람들을 대하는 것은 정말 훨씬 더 어려운 일이다. 그래 그건 당연한 거지. 내 스스로를 탓하지 말자.

<더 멀리 갈 수 있었어. 너무나 예뻤던 바다 월정리>

어쩌면 삶은 계획대로 되지 않는 것이 당연한 것인데... 나는 너무나 계획에 맞추어서 살려고 한 것은 아닐까? 이 강의를 통해 나는 변화에 유연해지고 있는 것 같다. 모든 삶이 계획대로 되었다면 난 만족하며 살았을까? 물론 지금도 계획을 세우고 살고 있다. 내 다이어리와 메모지는 필수니까. 하지만 그 안에서 변화가 일어나도 예전처럼 당황하지는 않는다. 정말 경험이 사람을 만드는 걸까?

7 그리웠어, 일주일에 한 번은 필수다

<오설록 티 뮤지엄에서 혼자 먹방. 참 좋다>

원래는 10월 19일 강의를 했어야 했다. 하지만 나는 너무나 아파서 갈 수가 없어서 하루 쉬고 영상으로 두 시간 강의를 촬영해서 올릴 수밖에 없었다. 진짜로 아쉬움이 가득했던 날. 그래서 나의 일지는 10월 26일로 시작된다. 이제 렌트는 익숙하고 오늘은 중간고사이기 때문에 좀 더 여유가 있는 거니까 어디로 갈까 고민을 했다. 구좌 쪽으로 가자. 이미 가려고 했던 <오설록 티 뮤지엄>은 지금 졸업여행과 여러 형태의 관광 시즌이라서 사람이 바글바글해서 사실 주차하고 나서 들어갈까 고민을 하긴 했다.

하지만 이왕 왔으니 가자하고 들어갔는데 역시나 사람이 많다. 낯가리는 나에게 이 많은 사람들은 너무나 버겁다. 그래서 본 건물은 그냥 휙 지나가고(선물 구매하고 음료 등 마실 수 있는 곳인데 내가 앉을 자리를 찾기는 힘들어서) 그냥 나왔다. 나와서 그냥 발자취 남겼으니 가자 하다가 저 쪽을 보니 무언가 건물이 있는 거다. 이니스프리? 오호? 여기는 생각 외에 조용했다. 배도 너무나 고프고 모두가 음료를 마시는데 나는 식사를 했다. 사진에 있는 해녀브런치세트. 너무나 너무나 맛있게 먹었다. 점심시간도 지났고 이 가격에 단체로 먹기에는 그랬나? 암튼 나 혼자 식사를 해서 다 먹고 나니 약간은 뻘쭘하기도 했다. 그래도 왠지 뿌듯함이란!

그리고 사람들에 너무나 쌓여 있어서 기가 빨렸는지 더 멀리 다른 곳을 가기는 어렵고 카페를 갔다. <풀벌레> 제주도는 특히 구옥을 리모델링한 곳이 많은 것 같다. 역시 여기에서도 나만 혼자군. 그래서 친구에게 전화해서 너랑 오면 참 좋겠다고. 다음에는 함께 할 것을 약속했다. 딸과 와서 좋은 곳이 있고 친구와 와서 좋은 곳이 있는 것 같다. 이 감성은 조용히 둘이 이야기하다가 책도 보고 바람 부는 대로 느낄 수 있어서 친구와 함께일 때 더 좋을 듯 했다.

2023년 10월 26일 나의 일기
<오늘은, 제주대 중간고사>
월요일부터 쉴 틈이 없어서 그랬는지 아주 아주 피곤하다.
시험 감독만 하는 게 아니라 내 역할은 채점도 해야 하니까.
화, 수 연이은 해미공군부대 수업. 진짜 어젯밤에는 기진맥진.
아휴.. 너무나 힘든 거다. 진짜 다 집어던지고 밥 먹고 치우지도 못하고 잠이 들었다. 건조기 안에도 빨래 가득. 세탁기에도 빤 빨래 가득. 다~~ 다시 해야 할 듯.
그러니 오늘 아침 미치겠는 거다. 그래도 제주도다!
관람객들 가아득한데 모두 행복한 표정. 그래서 좋다.

암튼 시험감독 끝내고(렌트가 편해!!!!) 가려도 찜해둔 <오설록 티 뮤지엄> 도착하니 수학여행 학생들로 바글바글. 그냥 갈까 하다가 이왕 왔으니까. 그래서 안으로 들어가니 이니스프리관? 들어가 보자. '해녀브런치세트' 너무나 지치고 배고팠던지라 먹었다. 나 혼자 밥 먹는 이 모양새. 신나게 먹고 채점은 여기에서는 무리다 싶어서 주차장으로 다시 가서 검색. 안덕면 바다까지 갔다가 더 피곤할까봐 근처로. <풀벌레> 카페. '풀'이 'pull'이었다니. 옛 건물(구옥)을 그대로 살린 구조. 공간을 잘 찾아서 신나게 제주대 모두 채점 완료! 그 후에 렌터카 반납 전 서해안로DT스타벅스! 여기선 단국대 대학영어1 채점 완료! 그리고 바로 근처인 렌터카 반납. 현재는 공항 내 <벨아벨>. 완전 카페 파티. 여기에서 단국대 대학영어2 채점 완료. 비행기 타고 집에 가면 밤 11시가 넘겠군.

그럼에도 보람찼던 하루! 역시 제주는 신나!!!!

학생들의 점수를 채점을 하며 음... 가끔 그런 생각이 든다. 내가 잘 가르치지 못해서 그런가? 회의감이 들기도 한다. 나는 중간고사는 대체로 25점 만점을 한다. 그런데 이런 경우는 20점 만점으로 바꿀 수밖에 없다. 교재가 어려웠나? 수업 시간에는 너무나 열심히 집중하는 학생들이 많았는데 점수는 왜 이렇지? 강의를 시작하며 변치 않고 스스로에게 질문하는데 매번 다르니 나도 잘 모르겠다. 하지만 이 중간고사 점수를 통해서 기말까지 이어지면 과제나 발표, 조별 활동을 어떻게 할지 기말을 어떻게 낼지 생각해볼 수 있어서 도움이 되니까. 그렇게 열심히 들으면 나도 기대감이 있잖니, 내 학생들아. 기말에는 다르겠지? 항상 변치 않고 시험지 끝에 기말에는 열심히 할게요 라는 글이 있는 것보다 나는 또 기대한다, 내 학생들아.

<제주도의 현무암은 참 제주스럽다, 풀벌레 마당>

벌써 제주대학교 강의한 지 두 달이 지났다. 매번 갈 때마다 기대되고 즐겁고 몸이 힘들어도 마음은 힘들지 않은 것 보면 이번 학기만 하고 마무리 하자라는 나의 생각은 저 멀리 날아간 것 같다. 아직 중간고사지만 기말고사까지 당연히 할 것이고 다음 학기도 난 제주대학교 강의를 할 것 같다. 왠지 오늘은 그런 생각이 더 강하게 드는 날이다. 제주대학교 강의를 위해서 한 주를 보내고 있다고 해도 과언이 아닐 정도니까. 참 다른 대학 학생들 오해말아요. 난 강의를 너무나 사랑해요.

8 두 번의 휴강이 준 마음의 변화

<초췌해도 강의를 해야 힘이 나>
(웨이뷰 협재점 야외 공간)

　부주의했다. 항공권의 가격이 계속 올라가고 조금만 더 기다리자 구매하자 했다. 허나 나의 방심은 항공권을 구하지 못하는 상황에 이르게 했다. 아... 나의 두 번째 휴강이었다. 결국 이번 주도 영상 두 시간으로 촬영해서 올렸다. 전 날이라도 가려고 했는데 정말 성수기인가 보다 오사카를 경유하는 항공권은 있더라. 나 원 참. 그래서 나의 일지는 11월 9일로 시작되고 난 종강까지 모든 항공권을 미리 다 구매해놓았다. 그러다 더 저렴한 항공권을 발견하고 가슴을 내려치긴 했지만 안전한 게 나으니까.

그냥 바람 쐬려고 선택한 제주대학교 강의는 정말 답답한 나의 마음에 또 다른 바람이 되어 주었다. 돈 생각을 안 할 순 없지만 처음 대학교 강의 했던 2008년부터 10년간 변치 않았던 대학교 강의에 대한 열정이 살아났다고 할까. 뭐 체력은 그 때와 다르긴 하지만(생각해보니 그 때는 더 종이인형이었지만 어렸으니까) 제주도에서의 여유는 다시 강의를 너무나 사랑하던 나로, 열정의 나로, 돌아가게 해주었다.

2023년 11월 9일 나의 일기

<역시 제주!!!! 오늘은 한림읍>

이스타항공 7시 비행기. 새벽에 예린이, 윤모랑 놀다가 거의 새벽 2시에 잠들어서 피곤. 그리고 4시 반에 눈 떴으니 피곤하지. 그래도 6시 10분에 청주공항에 도착. 7시 비행기에 탑승 완료. 역시나 잘~ 자고 8시 5분 제주도 도착!

여유부리다 렌터카 셔틀 늦고 좀 기다리다 현대렌터카 셔틀에 잘 탑승. 잘 찾고 스타벅스서해안DT로. 가까워서 금방 도착.

인문콘텐츠논문 최종 제출. 어떻게 되겠지~ accept or not?

그리고 제주대학교로. 이젠 좋다. 편안해.

오늘은 야외클래스. 예전보다 이 활동의 감흥? 은 덜하지만 그래도 좋다. 다~ 끝나고 오늘은 한림읍.

<금릉해수욕장>은 50분 거리. 잠깐 망설이다 가자!

Wow! 환상의, 예쁜 바다. 셀카도 찍고 <웨이뷰 협재점> 역시 오션뷰! 라떼와 빵 하나에 12,000원. 하하하. 그래도 잘 쉬며 출석 정

리. 참, 야외클래스 중간에 전북대 영상 촬영도 하나 완료. 이따가 하나 또 찍자. 또 이따 나가서 가까우니 <우무> 협재점. 선물사야 지. 그러고 나서 <금오름>도 가서 <제주도립김창열미술관> 그 다음에 렌터카 반납하고 공항 가서 저녁 먹고 제주대 야외클래스도 채점하고. 아주~ 좋다고! ^^

허나 금오름은 안가고 <제주도립김창열미술관> 갔다 바로 옆인 <제주현대미술관>에 갔다. 그리고 <몽그레> 제주공항점가서 또 선물 사고 렌터카 반납. 변경된 계획도 좋다! OK!

힝, <몽그레>는 차 너무 막혀서 못 갔다. 공항으로 가서 <돌랑돌랑> 1층 카페에서 노트북 충전하고 전북대 영상 변환하고 해커스위더스평생교육원 토론 채점하고 제주대 영상 check하고 비행기 타러~ 만족해!

<사실 미술은 잘 모르겠다. 하지만 왠지 좋다>
(제주현대미술관)

오늘은 예정과 조금은 다르게 흘러갔어도 왠지 좋다. 혼자서 할 수 있는 것들이 점점 더 늘어나기도 하고 발 동동 거리며 일에 대해 스트레스 받았던 것이 전혀 없어서 너무나 행복했던 날이었다. 무언가 소소하게 살 수 있고 그냥 보기만 해도 되고. 그런 게 행복인걸까.

<무언가 사는 즐거움, 제주스런 우무>

9 딸과 함께 하는 제주 여행의 의미

<아르떼뮤지엄은 정말 가볼 만한 곳이다>

딸과 함께 하는 제주도. 이젠 남편도 포기? 할 정도니까. 수능이기도 하고 전날에 함께 제주도에 가기로 했다. 다만 또 같이 가니까 아들이 엄마 언제 오냐고. 아직 중2고 엄마 손이 많이 가야 하는데 난 컸다고 생각해서 신경을 많이 안 쓴 건 아닌지 미안한 마음이었다. 그래서 딸과 아들 선물도 사고 신경을 좀 썼다.

그런데 딸과 제주도 오면 대체적으로 날씨가 흐리고 비가 내린다. 이번에도 그러했으니 너무나 심하게 내려서 정말 바람에 나라갈 정도였다. 비바람이 너무나 심해서 이러다 비행기가 뜨지 않을 수도 있다는 불안감이 생길 정도였다. 그럼에도 딸과 함께 하는 제주도는 너무나 다르게 나에게 다가왔다. 물론 항상 딸이 나를 생각하고 나를 위한다는 것을 잘 알고 있었다. 기회가 있으면 어디든 딸을 데리고 다녔다. 아들도 초등학생 일 때까지는 항상 같이 다녔다. 중학교 1학년 때까지는 군말 없이 잘 따라다녔으나 그 후로는 엄마 갔다 올게 이러면 웃으면서 잘 갔다 오라고 하니 뭐;;;;

암튼 딸은 언제든 엄마랑 가겠다 학교까지 자퇴하겠다 이런다. 그래서 너무나 쿨하게 자퇴해 이러면 그건 좀 이런다. 난 역시 딸 마음을 잘 안다니까. 하지만 내가 너무나 잘 안다고 해도 때론 너무나 모를 때가 있다. 그래서일까. 같이 여행을 다니면 잘 맞다가도 서로 말도 안하며 삐질 때가 있다. 서로 화가 나기도 하고. 인간관계는 가장 가깝다고 할 때 가장 조심해야 하고 더 잘해주어야 한다고 생각한다. 내가 낳은 딸이지만 난 딸을 통해서 사람을 더 이해하고 알게 된다. 사실 난 내 고집도 세고 마음에 안 들면 상대하지 않는 스타일이다. 친해지면 간도 쓸개도 다 빼주는 스타일이라 사람과 아예 친해지기를 두려워하기도 한다. 하지만 세상이 어찌 그렇게 살 수 있겠는가. 연구교수를 하다가 지금 강사로써의 삶을 사는 이유는 너무나 상처를 받아서 였다. 주임교수, 지도교수, 심지어 대학원생들까지도 나를 너무 막 생각했다. 처음에 준 친절을 감사하게 생각하다가 그 다음에는 너무나 당연하게 생각한다. 자꾸만 내 탓을 하게 되고 결국에 모든 것을 떠맡게 되어도 꾸역꾸역 해냈더니 더 시켰다. 그래서 사람 관계가 너무나 어려워 다시 강사로 지내게 된 것이다. 강사하면서도 과 교수가 너무 관여하면 그만둔다. 인간관계의 정도를 모르겠고 너무나 어렵다. 그런 점에서 딸과의 관계는 많은 점들을 생각해보게 한다.

2023년 11월 15일 나의 일기

<Wow, 송현희!>

내일 수능이라 1시에 온 딸. 샌드위치 시키고 또 급 결정? 내일 예린아, 같이 제주도 갈까? 이럴 줄 알았으면 그냥 일찍 가는 건데... 뭐, 이것도 좋다! ^^

암튼 남편을 아주 힘들게 설득하고 아들에게도 전달하고 나랑 딸은 저녁 6시에 청주공항으로 출발! 도착해서 공항 내 파리바게트에서 빵 약간 먹고 수속. 잘하지~ 이제는. 비행기도 제 때 출발! 잘 자고 제주에 도착! 밤이라 뭐~ 렌터카 찾고 로긴호텔로. 저렴한 가격에 이 정도 숙소라! 강력 추천! 바로 <수목원테마파크 야시장> 10시에 도착했는데 아... 다 문을 닫았다. 11시까지라고 쓰여 있으나 평일이라서. 배고픔으로 정신 몽롱해서 찾아도 가게 문은 다 닫고. 그래서 편의점 두 군데 털기. 숙소에서 아주 맛나게 먹고 새벽에 기절.

<제주 애월>

오늘은 애월이다. 비가 내린다고 했으나 이 정도일 줄이야? 암튼 9시 기상하고 씻고 나왔다. 바로 앞 <폴 바셋> 와우~ 근데 이러다 수업 5분 지각. 에구구. 오늘도 결석생은? 16명??? 비 내려서? 후덜덜. 48명 중 이 정도 결석... 그럼에도 난 열강하고 나오는데 비가 억수같이 쏟아지는 거다. 학생 한 명이 렌터카까지 우산을 씌워져서 차까지는 무사히. 딸과 바로 애월로. 미리 계획한대로 <삼육공본점> 애월점. 우리만 있네. 가격은 비싸도 너무나 맛있었고 험하게 흩어지는 바다 보면서 배불리 식사 완료. 예매해놓은 <사진놀이터> 낡았지만 사진은 너무나 잘~~ 나오니까. 진짜 찍을 수 있는 공간은 모두 찍고 <제주기와>. 현대적 기와카페. 제주대 조별채점까지 완료했고 이제 곧 5시! <아르떼 뮤지엄>으로. 바쁘네. 주유도 했고 가즈아! 아르떼는 Wow! 허나 예상보다 일찍 관람이 완료되어서 그

래서 음~~ 이러다가 <트라이브> 카페 가자. 가는 길이 구불구불 어둡고 피곤이 가아득. 비바람은 쏟아지고. 게다가 찾기가 너무나 어려운거다. 어느 주차장 들어가서 10분 정도 차를 세워놨는데 주차비 5,000원? 바가지다. 아.. 기분이 나쁘고 짜증나서 딸에게 화를... 기분 확 가라앉아서 근처 다이소 그냥 들어갔다가 공항으로. 배는 안 고팠지만 딸을 위해 4층 <플레이팅> 진짜 가득 시켜서 맛나게 먹으니 서로 기분 풀어지고. 10분 지연된 비행기 잘 타고 집으로.

공항에서 우연히 만난 대전문화재단 배기원감독님! 부인과 휴가 오셨다고. 헤헤~ 개명하셨는데. 바뀐 성함은 익숙하지 않아서. 암튼 파란만장 이번 1박 2일의 제주도 여행. 딸과 함께 끝!

<사진놀이터는 진짜 사진 가득 나오는 곳이다>

<딸이 찍어준 사진이 세상 제일 좋다>

나의 제주도 행은 여러 가지 의미가 담겨 있다. 물론 강의가 먼저이기에 항상 열심히 준비해서 간다. 같은 학생들이라도 갈 때마다 반응이 다르다는 것은 충분히 이해한다. 나도 학생 입장으로 교육받을 때 앉아있으면 영혼이 반쯤 나가 있으니까. 그래서 어떻게 하면 좀 더 이해하기 쉽게 전달할 수 있을지 생각한다. 그리고 또 다른 의미로 제주도는 나 혼자만의 시간을 만들 수 있기 때문이다. 집에 있으면 10마리 고양이들의 집사이고, 무엇보다 딸과 아들의 엄마, 또 한 사람의 아내이기도 하고 등등 참 부여된 직함이 많다. 그래서 온전히 혼자만의 시간을 만들기 어렵다. 그래서 소중한 이 시간. 그리고 딸과의 이 시간은 오롯이 딸에게만 몰두할 수 있어 값진 시간이다. 가장 소중하다고 생각하면서 가장 편하니 동생 위해 참아라 아빠의 장난을 받아줘라 양쪽 할머니 할아버지에게 연락해라 등 많은 짐을 부과한 것 같다. 그래서 더욱 소중한 시간. 학교는 항상 가정체험학습 20일 모두 빠져도 된다는 나의 교육관이라 앞으로도 함께 하자, 내 딸아.

10 강사로써의 나의 삶

<복층 작은 창밖으로 보이는 평온한 풍경>
(너무나 동화 같은 5L2F카페)

    강사로써의 나의 삶. 항상 생각하는 바이지만 오랜만에 더 생각에 몰두할 수 있는 건 역시 제주라서 그런 걸까. 학생들에게도 나에게도 익숙한 '뭍'에서 온 교수님. 그래서일까? 학생들은 나에게 무척이나 고마워하며 노력하며 강의에 집중해줬다. 그런 학생들이 있어서 내가 계속 '가르치는 일'을 업으로 살아가고 있는 것 같다. 내 아빠는 항상 송교수라고 부르신다. 진심 그렇게 되기를 원하시기 때문에 그런 걸 알지만 미안하다. 살아생전 아버님은 그렇게 결혼도 반대하시고 무뚝뚝하셨지만 내가 박사학위를 받았을 때 친구 분들에게 자랑하고 한턱

내셨단다. 아버님 장례식 때 아버님 친구 분들께서 나에게 그리 말씀을 해주셨다. 이제 며느리로 인정하고 사랑을 주실 때 세상을 떠나신 내 아버님. 그리고 항상 막내딸을 걱정하시고 자랑스러워하시는 내 아빠.

내 일을 너무나 사랑한다. 하지만 정교수를 꿈꾸는 나에게 참 험하고 머나먼 길인 것은 분명하다. 진심 존경하던 교수님은 비전임 교수로 계시다 중간에 그만두셨다. 여러 가지 일들을 나도 겪었고 너무나 잘 알기 때문에 이해한다. 그 분이 그러셨다. 정교수 말고 다른 길도 많다고. 나도 알고 있다. 그래서일까. 난 출판사 대표도 하고 문화기획 대표도 해보고 작은 도서관도 설립했었다. 군부대에서 강의도 하고 소년원에서도 강의를 했다. 공모지원도 얼마나 많이 해봤는지. 그래서일까? 새로운 과목을 가르치는 것을 두려워하지 않는다. 사실 두렵지 않다는 것은 거짓말이겠지. 그저 앞으로 나아갈 수밖에 없으니까.

2023년 11월 23일 나의 일기

<오늘도, 제주>

어제 남편이 카톡으로 제주대 강의를 왜 하냐고. 시간 낭비, 돈 낭비라고. 그래서 내가 그랬다. "일주일 힘든 강의에 대한 보상의 하루"라고. 그렇다. 어제도 그래, 내일은 제주니까! 이랬다. 제주는 나에게 선물 같다.

새벽 4시 반 기상. 그럼에도 좋아~ 5시 반에 나와서 6시 공항에 도착. 입국 수속 후 커피 한 잔. 비행기에서 꿀잠. 오늘도 현대렌트카. 셔틀에 자리가 없어서 다음 차 기다리느라 조금은 시간이 소요됐지만 괜찮아. 이젠 익숙하지. 차 끌고 바로 옆 스타벅스서해안로 DT. 이젠 익숙하고 너무나 좋은 곳. 공주대 의사소통클리닉 첨삭하고 제주대로. 반가운 아이들. 너무나 착해. 역시나 즐겁게 2시간 강의를 끝내고 계획한대로 오늘은, 조천읍 투어! 먼저 <제주돌문화공원> 너무~ 넓어. 그래도 좋다. 그리고 조천카페 <5L2F> 동화 속

별장 같다. 혼자는 나쁜이네. 제주대 조별채점 완료. 스콘도 맛나고 좋다. 이제 <돌하르방미술관>으로. 입장료가 아깝지 않았던 곳. 그 후에 <닭머르> 바람이 너무 불어서 머리가 미친 것처럼 날렸다. 그 다음에 가는 길이라 들린 <삼양해수욕장> 음... 실망이군. 이제 제주시니 선물 사러 가볼까? 신나라~ <돌카롱> 찾느라 돌고 주차하느라 돌고. 그럼에도 잘 사고 남편 담배도 사고.

참, 제주대 <영어읽기2> 강의에서 한 학생이 "교수님, 혹시 몇 살이세요? 30대시죠?" 야 이 녀석아!!! 고맙다. 그냥 좋지 뭐. 행복한 제주다!

<그래도 제법 혼자 잘 찍는다>

혼자서는 아직 외롭지만 강사로써 내가 즐길 수 있는 것이 무엇인지 잘 알고 있다. 또한 해야 할 것이 무엇인지도 잘 알고 있다. 무언가 지

금 포기하기에는 너무 이르고 다른 것을 하기에는 늦은 걸까. 아니다.

강사로써의 나의 삶. 어렵다. 아직도 정확한 길은 모르겠다. 하지만 분명한 것은 난 오늘도 강의를 준비하고 다음 학기를 생각하며 산다는 것이다. 좀 더 행복한 강사로써의 삶을 생각해보자. 매일 또 고민하며 '그만 둬', '계속 해'를 반복하겠지만 말이다.

<제주 아니면 이런 곳이 또 있을까 싶다>

11 이젠 익숙해, 가이드해도 되겠어

\<가장 제주 스럽군. 역시 제주민속사박물관이야\>

11월 말이 되니까 어느 정도 제주에 대한 윤곽이 싸악 잡히는 기분이다. 강의는 강의대로 매번 즐겁고 이번에는 어디를 갈까 신나서 새벽 4시에 일어나는 일정에도 눈이 번쩍 떠진다. 뭐 너무나 잘 자는 나는 비행기가 뜨기 전에 이미 잠에 들어 도착하면 깨니 한 시간 푹 자는 거라 좋다. 엄마가 넌 너무나 둔해서 잘 때 누가 업어 가도 모른다고 했는데 잠 복은 타고 난 것 같다. 그래서 성격도 둔한지도 하하 하.

이제 하루 일정으로 제주대학교를 중심으로 가볼만한 곳은 대체적으로 가 본적 같고 오늘은 초심으로 돌아가기로 했다. 제주 시내를 둘

러보기로 한 것이지. 이제 웬만한 길은 눈에 보이고 익숙해졌다. 사실 제주도는 섬이라 그런지 큰 길은 원형이다. 제주대학교에서 나와 애월을 지나면 구좌를 가고 한림도 가고 안덕도 가고. 그 길이 그 길인 셈이다. 그래서 운전하는 입장에서는 어렵지 않은 길이 펼쳐지니 참 좋다. 또한 제주에서 운전해 본 사람은 알겠지만 큰 섬이고 뭍 대비 사람이 많은 것도 아니고 제주 시내는 붐비지만 관광지로 향하는 길은 그렇게 차가 많지 않으니 운전하기 편한 곳이다. 항상 제주도에서 운전하며 그래 여기는 관광지야! 라고 신나하니까.

어디를 가면 좋을지 그래도 눈에 보이니 나 가이드해도 되겠는데 싶다. 물론 진짜 한다는 것은 아니지만 나 같은 성격 유형을 가진 사람에게 추천하기는 참 좋은 것 같다. 나 같은 사람? 밥 별로 안 먹고 카페 가는 거 너무나 좋아하고 식물원, 박물관 무척 사랑하는 사람? 극 내향적이고 극 계획적이고 혼자서 카페가고 사색하기 좋아하신다면 추천해드릴 수 있답니다.

하지만 너무나 추워서 계획대로 되기가 어려웠던 하루다. 난 겨울에 태어났다는 단순한 이유로 겨울을 좋아하지만 추위를 너무나 타는 허약형이라 추위를 너무나 싫어한다. 그래도 학생들이 매번 오늘은 어디 가세요? 라고 묻기에 허투루 아무 곳이나 갈 수 없다고 생각한다. 다음 주에 또 지난주에 어디 갔었는지 얘기하고 시작하니까.

2023년 11월 30일 나의 일기
<오늘도, 역시 제주>
사실 어젯밤 그냥 너무~ 기분도 안 좋구...
암튼 새벽 4시 40분 기상. 거실 욕실에서 씻고 방에서 준비. 남편도 어차피 일찍 나간다고 했으니까. 그럼에도 시끄럽다고 떨떠름. 짜증 부려서 미안한데 카톡이 오네. 오늘 춥다고 따뜻하게 입고 나가라고. 고맙네...
암튼 6시 40분 나오고 보니 제주에 또 비 내린다고 해서 우산

들고 장갑도 챙기고. 흐린 날씨 겠군. 그런대로 즐기면 되지. 오늘은 원래 구좌읍에 가려했는데 비바람으로 제주시로 변경.

뭐, 그래도 제주!

제주에 도착하니 날씨가 크헉 너무나 춥다. 그래서 제주시내로 변경한 게 나았다. 박물관과 미술관 가자. 여긴 역시나 스타벅스서 해안로DT점. 오늘은 몸 상태가 너무나 안 좋다. 학교에 우선 가자. 아파도 좋다. 제주!

강의 끝나고 <제주도립미술관> 근데 거의 공사 중이어서... 아주 작은 부분만 봐서 아쉬웠다. 그리고 노형동이라 급히 찾아봐서 지나가다 본 <노형슈퍼마켙> 뭐~ <아르떼뮤지엄>처럼 빛의 예술. 비슷해도 나름 즐거웠다. 그리고 오늘은 <몽그레> 제주공항점. 아주 만족!!!!! <이호테우해수욕장>도 렌터카로 이동해서 보고, <제주민속사박물관>은 진심 너무나 좋았다! 박물관 사랑! <제주문화예술진흥원>은 갔으나 구경하기 애매해서 그냥 나왔고. 마지막으로 <다랑쉬> 카페. 주차가 애매해서 그냥 가려다가 자리 생겨서 주차하고 들어감. 여기도 구옥을 멋지게 리모델링한 곳. 제주대 조별채점 완료. 이제 가자. 공항에 가서 또 공주대의사소통클리닉 첨삭하고 비행기 타고 집으로.

좋다, 오늘도 제주!!!

제주도에는 참 무언가 새로운 것을 찾기에 좋은 곳이고 익숙한 곳도 익숙한 대로 좋은 곳이다. 계절마다 느낌도 다르겠지? 늦여름과 가을 전체 그리고 겨울까지 경험하고 나니 꽃피는 봄과 초록이 무성한 여름의 제주도도 느끼고 싶다. 그러면 1년 간 나는 제주도를 온전히 느끼는 거겠지? 진짜 가이드 해도 되겠다! 진짜는 아니구요;;;

<비바람에도 꿋꿋이 찾아간 다랑쉬 카페>

새로운 곳을 찾아가는 것은 나에게 기쁨이다. 특히 카페 투어는 제주도에서 늘 새로움을 주고 언제나 즐거움이 되는 것 같다. 다음 주에는 어디를 갈까 어떤 경로로 이동할까? 하루에 한 곳 혹은 두 곳의 카페는 나에게 행복이니 제주도 카페 투어 가이드를 해도? 될까나? 부모님도 모시고 가고 싶고, 아이들과 다시 가고 싶고. 또 내 친구하고도 가고 싶다. 내 취향이겠지만 자신 있게 소개하고 다니고 싶다. 아니, 다니면 되지.

12 나는 여유와 할 일의 조화를 알지

\<구엄리 돌염전에서 한 숨 돌리기\>

딸과 찾았던 애월을 다시 찾기로 했다. 딸과 가는 곳과 참 다른 곳을 가는 것 같다. 아마도 비슷한 점도 있지만 다른 점도 분명히 있으니까. 똑같은 곳도 함께 가는 것과 혼자 가는 것에 차이는 있지만 전혀 다른 곳을 가고 싶었다. 처음 제주대학교 강의 시작할 때와 완전 철저하게 계획적으로 움직였다. 뭐 하지만 모든 일이 마음대로 되지는 않는다. 가보니 생각보다 다르기도 했고 혼자라 외롭기도 했고 여전히 길을 헤매다가 가려고 한 곳을 찾지도 못하기도 했다.

항상 여기저기 움직여도 일은 한다. 계획한 일을 다 하지 못하면 불안하기도 하고, 계속 해야 무언가 남기도 하니까 쉬지를 못한다. 사람들은 좀 쉬라고 하는데 나는 스스로 잘 안다. 나는 뛰어난 사람이 아니고 노력형 인간이기 때문에 그 노력을 멈추면 정말 평범해질 것이라는 것을. 사실 평범한 게 가장 좋다고 생각한다. 무언가 뛰어나고 싶으니 노력하는데 그것이 잘되지 않으니 스트레스가 되기도 한다. 그럼에도 이 여정은 여유와 할 일의 조화를 더욱 더 알게 했기에 너무나 소중하다. 마음으로는 쉬고 싶고 이번 학기에는 강의를 줄일게 라고 절친에게 항상 이야기하지만... 내가 쉬지 않을 것이라는 것을 나도, 친구도 알고 있다. 매 학기 40시간 이상 강의를 했다. 대학 강의가 그럴 때도 있고 대학 강의가 그 시간을 채우지 못하면 그 외 기관(문화재단, 군부대, 소년원 등)에서 시간을 채웠다. 그러다보니 집에서 일하는 것도 태반이고. 그런데 제주도에서는 여유와 할 일이 조화가 된다. 참 신기하다.

2023년 12월 7일 나의 일기

<역시나, 제주는!>

잘 자고 일어나서 청주공항.

몸은 피곤해서 역시 제주도는! 곧 비행기 탑승하자. 피곤해도 난 잘 자니까. 바로 꿀잠. 여기는 제주노형DT점. 에스제이렌터카에서 여기까지 가까워서 왔다. 제주민속오일장 근처라. 한 시간 내내 과목 정리하고 2024년 계획 정리하고 이런저런. 글로벌논문까지 투고하고 학교가야지. 몸도 괜찮아졌고 컨디션도 좋아졌고 날씨도 좋고. 해피하군!

으악 글로벌논문 투고는 마무리했지만 학교 10분 지각... 미안해도... 학생 두 명에게 부탁해서 늦게 도착한다고 화이트보드에 써달라고. 그리고 도착해서 미친 듯이 열강. 쉬는 시간 글써준 학생에게 스타벅스에서 샀던 <한 입에 쏙 고구마>주고.

오늘은 애월읍. 먼저 <새별오름> 엥? 생각보다 높다. 여기를 올라가면 다른 데 가기 힘들 거야라고 합리화하고 앞만 구경했다. 그리고 나서 <항몽유적지> 역사가 있어. <상가리야자숲> 혼자 사진 찍으려니 뻘쭘. <구엄리돌염전> 그으래 신기하군. 애월해안도로 돌고 돌고 <커피빈 애월점> 좋다. 사실 가려던 카페를 아무리 찾아도 못 찾아서. 이놈의 길치. 쿨하게 여기에서 제주대 조별채점하고 좀 쉬고. 좋은 날씨다. 바다로 잘 보이고 좋구먼~

이따 곽지해수욕장갈까? 고민하다가 못 갔다. 공항에서 공주대 의사소통클리닉 첨삭까지 하고 밥 먹고.

아주 큰일 났다. 2020년 인문사회학술연구교수B유형 마감이 2024년 2월 29일인데 마지막이라고 생각한 <동서비교문학저널> 게재불가... 아... 좌절감. 하지만 다시 가능한 등재지 찾기. 미쳐... 끝까지 해보자.

여러 곳을 왔다 갔다 했다. 이 계획에 따르는 인간 같으니라고. 사실 논문 게재가 제대로 되지 않아서 불안한 마음도 있었다. 한국연구재단 B형 지원사업 선정이 되고 기간 안에 논문 투고를 해야 하는데... 2018, 2019년은 제대로 잘 했는데 2021년 주제는 자꾸 게재 불가가 되니... 이러니 2020년 선정되지 않았을 때 마음의 준비를 할걸... 2021년 됐으니 감사한 마음으로 일찌감치 논문 투고를 빨리 할걸... 그 전처럼 잘될 줄 알았다.... 이 부분에서는 여유가 있으려고 하지만 연장 신청 6개월 하고나서도 잘 되지 않으니 미칠 지경이다. 그래서 제주도의 여유가 더 필요했는지도 모른다. 마음 속 가득 여유를 담고 내 할 일에 다시 몰두하는 거지. 그게 나의 일상일지도 모른다.

그럼에도 불안한 것은 어쩔 수 없다. 2024년은 어떻게 보내야 하나. 여유와 할 일의 조화를 안다고 해도 내 마음대로 다 되는 것은 아니니까. 강사 또 지원을 해야 하는데 안되면 어쩌나. 시간표가 서로

맞지 않으면 어쩌나. 에이 잘 되겠지. 참 아이러니한 삶이다. 그래서
앞으로 나아가며, 인간은 살아가는 걸까.

<셀카는 역시 어려워. 나 어딨냐>
(상가리야자숲)

13 도전이 필요해

<값어치가 있었던 곳, 본태박물관에서 딸과 함께>

　새로움과 익숙함. 서로 다르면서 함께 함으로써 뜻깊은 의미를 만들어낼 수 있다고 본다. 안덕은 혼자 갔었는데 이번에 또 갔지만 이번에 혼자가 아니라 함께 였다. 제주대학교 강의하며 세 번째 딸과의 동행. 딸은 갈래? 이러면 당연히 간다고 한다. 담임 선생님이 좋으시니 허락해주시지 이렇게 갑자기 간다고 하면 다른 선생님들은 허락안해주실지도. 아무튼 이번 학기 강의에 딸은 3번이나 함께 했다. 오늘은 당

일로 함께 했고 당연히 딸을 위해 체계적으로 계획을 세웠다. 하지만 항상 계획대로 되지 않으니. 비의 여신이라고 부를 정도로 딸이 움직이면 비가 내린다. 그것도 아주 많이! 그래도 오늘은 휘몰아치는 것은 아니었으니...

하지만 계획을 포기할 수는 없지. 더 많은 것을 보여주자. 사실 내 자신을 생각하면 도전의식이 강한 사람이다. 하지만 겁도 많고 소극적이다. 그럼에도 친한 친구는 말한다. 넌 진짜 대단하다고. 사람들이 안 하는 것을 해낸다고. 혼자서는 용기가 많이 생기는 것 같긴 하다. 그런데 내가 준비되었다고 생각하기 전에 보여주는 것은 두려워한다. 이건 소위 말하는 쫄보 같기도 하지만 성향이라고 생각한다. MBTI를 배우며 그나마 안도? 했던 것은 사람의 성향은 바뀌는 것이 아니라는 것. 강사 자격증까지 취득하고 강의를 했을 때도 배웠던 것이 학생들을 가르치는 데 도움이 되었었다.

비가 내려서 우산을 살까 했는데 애매한 빗줄기라 사지 않았다. 좀 더 기다려볼까 하다가 계속 사지 않아서 딸과 내 겉옷이 비막이가 되어서 종일 눅눅하게 다녔다. 그래도 뭐가 좋다고 서로 까르르. 정말 내 소중한 파트너 딸내미. 고맙다.

2023년 12월 14일 나의 일기

<제주 with 딸>

오늘은 당일이다. 이틀간 피곤해서 어버버했는데 오전 10시 제주 노형스타벅스DT점. 위더스 첨삭 의견 보내고 공주대의사소통클리닉 5개 첨삭하고. OK.

비 내려서 딸에게 넌 '비의 여신'이다 라고 농담하며 이동. 갑작스레 학교에 가정학습계 내고 온 거라 하하하

비도 그쳤고 우산은 안사고 되겠고 보강 주라 학생들 많이 안 오겠고. 그러면 강의 끝나고 예린이랑 안덕면을 즐기자!!!!

근데 비가 내린다. 그래도 오늘 계획대로 <방주교회>. 우산 없으

니 차 안에서 구경. 그리고 <본태박물관> 박물관 중 가장 비쌌지만 그만한 가치가 충분. <무민랜드> 너무나 귀엽다. 그 담에 쉬어야하니까 <벼레별씨> 아담하고 고양이가 있어서 행복했고. <사계해변>도 보고 마지막으로 <테디베어뮤지엄> 기대안했는데 오호 재밌어~~~~

이제 공항으로. 제주공항 1층에서 처음으로 식사. 앗, 맛있잖아~~~ 온담국수와 애월카츠. 그 다음에 <돌랑돌랑>에서 할인돼서 커피마시고 마감 시간 되서 수속함. 오늘도 비행기는 지연. 항상 그러니 놀랍지도 않다. 이 또한 지나가리.

오늘도 완벽!!!!

딸은 계속 돌아다니니 조금은 귀찮고 지친 기색도 역력했다. 하지만 다시 새로운 곳에 들어가면 와 좋다 신난다 이러며 여기저기 돌아다니며 구경을 했다. 두 아이의 엄마가 되면서 난 한 가지 다짐을 했다. '내 아이들에게 새로운 세상을 보여줄 거야.' 그래서 아이들은 영화도 어릴 때부터 항상 나와 극장에서 봤고 내 학회 발표 및 강의가 있을 때도 내가 일을 할 때도 항상 내 옆에 있었다. 사실 아이들이 기억 못하는 것이 태반이다. 그래서 처음에는 어? 이게 뭐지? 실망하기도 했다. 하지만 몸에 밴다고 해야 할까? 아이들이 편견 없이 생각하고 행동하고 나에게 그것을 전할 때는 내가 잘 생각한 거구나 라고 항상 느낀다.

내가 어릴 때는 사실 난 공부에도 뭐든 두각을 드러내는 것이 없었다.(인형 꾸미기를 너무나 잘해서 엄마는 디자이너가 될 거라고 했는데 현재 나는 아니지만 딸이 디자인적 감각이 뛰어난 걸 보면 이것도 유전인가) 그래서 개근상이 전부여서 아파도 학교를 가야했던 시절이 있었다. 그러다 고등학교 때 갑자기 책을 좋아하게 돼서 500명 중 다

독상을 받았는데 아마 학창시절 상은 그게 유일했던 것 같다. 그래서 책의 범위를 점차 넓혀갔던 기억이 나고 그 때의 칭찬받은 순간이 나에게 평생 가는 것 같다.

<동심의 나라, 무민랜드>

생각해보면 난 항상 도전을 했었다. 그런데 요즘의 난 그렇지 못했던 것 같다. 아니다, 생각해보면 난 도전을 두려워한다. 익숙한 것에 더 편안함을 느끼고 그 곳만 간다. 그래서 박사공부를 했던 것 같고. 그러면서도 반대로 나는 새로운 것에 대해 호기심이 많다. 그 호기심이 다른 사람들과 다르다는 차이점은 있지만. 그런데 오늘은 정말 호기심이 이끄는대로 바로 도전하는 딸과 함께 한 도전이었다.

그래, 나를 위한 도전을 계속하자.

<난 항상 수줍음이 많지, 벼레별씨 카페>

눈을 가리고 사진 찍는 게 편한 것 같다.
그냥 마음이 닫혀 있다기 보다는
그래야 좀 더 마음이 편해지니까.

14 제주대학교 마지막 날

<폭설의 제주도 그래서 더 예뻤던 스누피가든>

제주대학교. 두 번의 휴강을 제외하고 오롯이 13번 꼬박꼬박 세며 행복하게 강의하러 다닌 곳. 2008년 처음 얼떨결에 개강 몇 주 전에 강의를 맡게 되었었다. 박사 2학기였지만 그 때는 모교여서 가능했던 것 같고 내 은인이 되어주신 그 교수님이었기에 가능했던 것 같다. 처음 맡았던 미디어 영어. 한 시간은 한국어, 한 시간은 영어로 진행했던 수업이었는데 정말 한 학기 가도록 낯가려서 학생들을 보기는 봤으나 얼굴이 기억이 안날 정도로 긴장하며 수업을 했었다. 그럼에도 열정은 넘쳐서 수업자료는 얼마나 많이 만들었던지. 그 때의 경험들이 지금의 단단한 내가 되도록 한 거 같다. 그 후로 그 누가 뭐래도 열

정이 사그라지지 않게 10년 넘는 시간들 동안 강의를 했다. (중간에 험한 파도는 지금은 언급하지 않겠다)

그러다 코로나 상황이 생기고 강의가 단순히 열정이 아닌 생계가 되어 버리자 나의 열정은 한 순간에 사라졌었다. 비대면에서도 열정을 다했지만 어느 순간 일주일에 50시간 가까이 강의를 하며 잠은 하루 두세 시간 자고 주말도 없고 오롯이 돈만 생각하는 내가 되어버렸었다. 그러기 싫은데 어쩔 수 없으니 혼자만 가슴 가득 원망만 가득했다. 그런 상황이니 학생들은 그냥 스쳐지나가는 존재가 되었고 처음으로 강의평가에 절대 추천하고 싶지 않은 강의라는 평가를 받게 되었다. 단 한명의 이야기였지만 나에게 충격이었고 무엇보다 그게 사실이었기에 더 충격이었다.

그래서 어떤 길로 가야 하나 많이 고민을 했다. 이 일을 그만둬야 하나 그러면 무엇을 해야 하나. 그런 상황에서 만난 제주대학교. 정말 학생들은 순수하고 착한 아이들이었다. 어쩌면 다른 대학에서도 그랬을 꺼다. 정말 몇 백 명이어도 학생들 얼굴과 이름을 기억하던 나였지만 어느 순간 기억이 안 났다. 그러다 나로 인해 공부가 즐거워졌다 나의 열정에 영어에 관심이 생겼다 등등 좋은 평가를 받으면 부끄러웠다. 그러니 제주대학교 학생들로 인해 내가 다시 강의에 열정이 생긴 것은 아닐 터이다. 하지만 제주도라는 환경과 제주대학교 학생들과의 강의가 나에게 큰 영향을 끼친 것은 분명하다. 정말 그렇다고 생각한다. 내 다짐일 수도 있는데 좋은 마음으로 그렇더라도 생각하면 그것이 진실이 된다고 생각한다. 그렇지 내 일이니까 내 강의니까.

2023년 12월 21일 나의 일기
<제주대 마지막 강의>
아침부터 이런~~~ 아하하하하항. 4시 반 기상해서 잘 준비해서 6시 공항에 도착. 근데 7시 출발 비행기가 안가네? 처음이다. 지연 시간도 미정. 히익? 음, 우선 그러려니 기다렸다. 비행기에 올랐으

나 제주도 다 와서 강풍으로 공중에 있다가 9시 넘어서 도착. 렌터카 찾고 학교 가는데 오늘따라 렌터카 상태도 제일 안 좋고 가는데 한 시간 걸림. 바로 폭설로 인해서 모든 차들이 거북이. 내 차도 밀리고. 11시 약간 넘어서 도착했다. 기말고사니 학생들이 다 와있었다. 서귀포 지역에 사는 학생들은 평소보도 배는 걸렸단다. 왠지 감동에 찡했다.

암튼 시험 끝나고 눈이 너무나 내려서 고민 고민. 그래도 눈이 잦아든 거 같아서 예매해둔 <스누피가든>으로 고고. 가서 너무나 좋았지만 혼자라 쓸쓸. 사진 찍기도 어색. 그래도 즐겨야지. 원래 <카페글렌코> 가려했으나 바로 앞 <제주송당파크R스타벅스>로. 예린이랑 오픈했을 때 가보고 오늘이 두 번째. 현무암 쿠키세트 삼. 근데 눈이 더 심하게 내리네. 빵 먹으며 멍 때리다 가자. 와... 공항까지 원래 50분 걸리는데 오늘은 3시간 걸림. 바로 눈앞에 사고의 현장들이 즐비하고 오늘따라 상태 안 좋았던 렌터카는 계속 미끄러지고. 정말 눈물 참느라 머리까지 두통이 오고. 겨우 렌터카 업체 도착하고 공항 가서 화장실에서 펑펑 울고. 그런데... 비행기가 거의 결항이다... 지연이다...

뭐, 우선 밥이나 먹자. 배불리 먹으니 마음에 안정이 왔다. 오후 3시 비행기가 저녁 8시에 겨우 가는 상황. 난 9시 40분 비행기라 그래도 마음이 편했다. 결과는? 진짜 처음? 으로 제 시간에 출발했다. 다행이다. 신나라!!!!

제주대, 바이!

<제주송당파크R 스타벅스에서 지켜본 제주 폭설>

안일했다. 그치겠거니 했는데 겨우 도착했던 스타벅스에서 지켜본 바깥의 풍경은 이 상태에서 더욱 더 거세졌고 사람들은 술렁거렸다. 심각성을 깨닫고 나는 공항으로 향하기로 하고 나왔지만 대부분의 차들이 주차장에서도 빠져나오기 힘든 상황이었다. 나도 겨우 빠져나와 원래는 50분 거리를 3시간 걸려서 도착했으니... 무엇보다 렌터카에서 사고가 나지 않을까 주변 차들이 줄줄이 사고 나고 나 혼자 겨우 전진하고 있는 상황에 온몸이 굳어지고 눈물도 나고. 강의 마지막 날에 사고 나면 그렇게 왜 제주도까지 가서 쯧쯧 이런 소리가 분명히 들릴 꺼라 정말 머릿속이 하얘졌지만 무사히 도착하자를 되뇌며 팔다리에 쥐가 날 정도로 핸들과 엑셀 브레이크 조절하며 무사히 도착했다. 다행히 나의 마지막 강의 날 마무리를 했다.

2023년 2학기 제주대학교 강의를 정리하며

제주대학교 강의를 결정하며, 많은 이야기를 들었다. 시작은 "왜"였다. 나도 "왜"였을까. 뭐 당연히 돈도 아니고 목적이 있는 것도 아니었다. 그냥 해보자 이었으니까. 평생 나고 자랐고 일한 고향 대전에 있었다면 시도할 생각도 안했을 거다. 정말 낯선 아무도 모르는 청주에서도 오송이란 이 지역. 단순히 청주공항도 가까우니까 가보자 였다. 그래도 국립이라도 2시간으로 강의를 가는 것은 좀 그랬다. 줌으로 면접 볼 때도 영어교육과 교수님들이 걱정을 하셨고 모두가 그랬다. 난 태연하게 제주대학교 말고 다른 강의도 있다고 했다. 뭐 가능성은 있었다. 내가 찾아보면 문화재단이든 기업체 강의든 뭐 과외도 할 수 있고. 그랬는데 온전히 제주를 즐겼다.

사실 2023년 2학기 강의만 하고 제주대학교는 바이 바이 할 생각이었다. 그런데 앞서서 얘기했듯이 제주도의 봄, 여름도 제대로 봐야지 라는 생각이 들었기도 했고(주절주절) 물론 2024년 1학기는 4시간이고 수업이 떨어져 있어서 어디를 멀리 나가기는 애매하다. 하지만 월요일 강의니 주말과 연결할 수도 있고. 그럼 나의 이야기 2편이 펼쳐지는 거겠지. 다시 열정을 찾게 해줬고 나의 삶의 목표를 다시 생각하게 하고 무엇보다 여유를 알게 해주었다.

학생들아 고마웠어. 내가 너무 많이 시켜서 미안했고 그럼에도 열심히 따라와줘서 고마웠다. 하지만 다른 과목으로 나와 만나도 점수에 영향을 끼치지 않으니 신중히 생각해다오. 개인적인 친분이 성적에 절대 기여하지 않으니 그렇게 알아다오. 행복했다 진심으로 제주도. 다시 만나자.

제주도야 다시 만나자

또 다른 제주 이야기

  제주대학교는 아니지만, 2023년 1월에 이어 2024년 1월에도 워크숍을 위해 제주를 찾았다. 2023년 1월은 3박 4일(교육은 2박 3일)에, 딸과 아들을 동행했다. 2024년 1월은 2박 3일(교육은 1박 2일)에, 딸과만 함께 했다. 아들은 아직 학기 중이었고 마지막 날도 방학식 하는 날이라 갈 수가 없었다. 암튼 12월 종강 후 새로운 해인 2024년 1월에 찾은 제주는 또 다른 느낌이었다.

  마치 고향을 찾은 것 같은 감격스런 기분이었는데 그냥 느낌상 그랬다는 거다. 그만큼 제주도는 색다르고 행복한 곳이라는 말이다. 항상 느끼는 것은 제주공항에 있는 사람들의 표정이다. 가족, 연인, 혼자만의 여행, 출장 등 어떤 목적이라도 사람들의 표정은 모두 밝고 행복해 보인다. 다른 공항도 그렇겠지만 제주공항이 좀 더 그런 느낌이다. 교육 일정엔 멀리 갈 수 없으니 전날에 도착하여 이번에는 가보지 않았던 성산으로 갔다. 여전히 바람 많이 불고 춥기 까지 했지만 색다른 도전이었음은 분명했다. 딸과 아쿠아플래닛부터 성산 곳곳이 마주하며 2024년 1월 제주도와 함께 했다. 그런 다음날 이틀 교육 받느라 힘들기도 했지만(학생의 기분을 깨닫게 해주는 교육이다. 내가 교육받는 입장에서는 학생들이 가방을 품에 안고 언제 끝나나 기다리는 심정을 충분히 알게 된다.) 무언가 깨닫게 되는 시간이었다.

이제 제주도를 보내자. 다시 다가올 제주대학교에서의 강의와
제주를 맞이해보자꾸나.

<성산 뷰가 최고였던 오르카페. 다시 가고 싶다>